图书在版编目（CIP）数据

丽塔和鳄鱼去钓鱼 [丹麦]希瑞·梅尔希奥文·图；林昕译.—武汉：湖北美术出版社，2007.8
（海豚绘本花园系列）（16040517）
ISBN 978-7-5394-2144-5

Ⅰ.丽… Ⅱ.①希… ②林… Ⅲ.动画：连环画—作品—丹麦—现代 Ⅳ.J238.7

中国版本图书馆 CIP 数据核字（2007）第 109972 号
著作权登记号：图字 17-2007-026

丽塔和鳄鱼去钓鱼

[丹麦]希瑞·梅尔希奥／文·图
林 昕／译 责任编辑／余 杉 刘梦霞
美术编辑／沈 霞 装帧设计／黄 淳
出版发行／湖北美术出版社 经销／全国新华书店
印刷／恒美印务(广州)有限公司
开本／787mm×1092mm 1/16 4 印张
版次／2012 年 4 月第 2 版 2012 年 4 月第 2 次印刷
书号／ISBN 978-7-5394-2144-5
定价／24.00 元（全两册）

策 划／海豚传媒股份有限公司
网 址／www.dolphinmedia.cn 邮 箱／dolphinmedia@vip.163.com
咨询热线／027-87398305 销售热线／027-87396822
海豚传媒常年法律顾问／湖北立丰律师事务所 王清博士 邮 箱／wangq007_65@sina.com

Rita og Krokodille på fisketur

Translated from Danish
Rita og Krokodille på fisketur, Gyldendal, 2003
Published in China by agreement with The Gyldendal Group Agency, Denmark
© Siri Melchior, 2003
本书经丹麦 Gyldendal 代理公司授权，由湖北美术出版社独家出版发行。

丽塔和鳄鱼
去钓鱼

[丹麦]希瑞·梅尔希奥/文·图　林昕/译

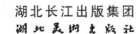

湖北长江出版集团
湖北美术出版社

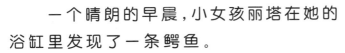

一个晴朗的早晨，小女孩丽塔在她的浴缸里发现了一条鳄鱼。

"咦？你是从哪儿来的？在这里干什么呢？"丽塔觉得好奇怪。

可是，鳄鱼没有回答她。

"哦！你是不是刚搬来的呀？"丽塔又说，"我们一起吃早餐好吗？"

丽塔煮了一大锅稀饭，然后吩咐鳄鱼去铺
桌子。结果，笨笨的鳄鱼打碎了四个盘子、五
个杯子。

"唉！又蠢又笨的家伙！"丽塔边
说边摇头。

丽塔把稀饭煮煳了,鳄鱼却一点儿都不介意。
他不仅喝掉了自己的那份,还把丽塔的那份也吃掉了。
"我的天哪!你的胃口真好!"丽塔惊奇地瞪着鳄鱼说。

鳄鱼正准备洗餐具时，丽塔说："现在不用洗了，我们要马上出发去钓鱼呢。"

"瞧你，走路太慢了，"丽塔说，"你的腿也太短了，这样下去，我们准会错过火车的！"

可鳄鱼的四条腿一直就是那么
短啊，他有什么办法呢？丽塔只好抱
起鳄鱼，一路小跑，来到了车站。

"小心点儿，别把票弄丢了喔，粗心的家伙！"

不一会儿，丽塔和鳄鱼来到了大海边。

"记住喔！钓鱼的时候，一定要安安静静地坐着，"
丽塔对鳄鱼说，"要是你把鱼吓跑了，我就再也不带你
来钓鱼了。"

他们安安静静地坐着。可是，等了好久，
连一条鱼都没有钓到。

"都怪你，鳄鱼，一定是你把鱼吓跑了！你根本就没有保持安静！"丽塔说。

就在这时，鳄鱼钓到了一条鱼！

鳕鱼

水母

象鱼颈

观赏鱼

章鱼

接吻鱼

接着，他又钓到了一条……再接着，
又有一条……还有一条……

大马哈鱼

海马

猫鱼

水虎鱼

鲭鱼

天空下起了雨，丽塔还是一条鱼都没有钓到。
她只好说："下雨了，我已经累了，该回家了。"

鳄鱼举着丽塔和
所有的鱼往回走。

回到家后，鳄鱼负责做晚餐，丽塔负责铺桌子。

晚餐时，丽塔吃了一条鲭鱼，鳄鱼吃了一条鳕鱼、一条水虎鱼、一条大马哈鱼、一只章鱼、一只海马，还有一只水母和一条独角鲸。

"哇！真好吃！"丽塔对鳄鱼说，"味道好极了！
真没想到，你不但会钓鱼，还是一位了不起的厨师呢！
跟你住在一起太开心了！"

睡觉的时间到了。丽塔说："鳄鱼，
钓了那么多鱼，你也累了吧？晚安！"

"晚安，丽塔。"鳄鱼轻轻地说。